IRIS vouwe *folding*

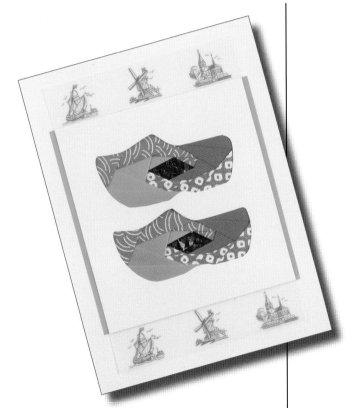

Maruscha Gaasenbeek

FORTE UITGEVERS | **FORTE** PUBLISHERS

Inhoud *Contents*

ISBN 978 90 5877 706 5
NUR 475

This is a publication from
Forte Publishers BV
P.O. Box 1394
3500 BJ Utrecht
The Netherlands

For more information about the creative books available from Forte Uitgevers:
www.fortepublishers.com

Final editing: Gina Kors-Lambers, Steenwijk, the Netherlands
Photography and digital image editing:
Fotografie Gerhard Witteveen, Apeldoorn, the Netherlands
Cover and inner design: Scriptura, Westbroek, the Netherlands
Translation: TextCase, Hilversum, the Netherlands

Voorwoord *Introduction*

In dit nieuwste IRISvouwboekje vind je allemaal *minimodellen* in de kleuren van de regenboog! Hiermee kun je eindeloos veel prachtige kaarten maken, versieringen voor in je scrapbook, cadeaukaartjes en ATC-tjes. Gebruik de modellen klein of vergroot ze tot het formaat van je keuze. Met jouw papierstrookjes maak je telkens originele kunstige kaarten.

Dit is het twaalfde boekje met modellen in de IRISvouw techniek. Heb je ze allemaal doorgewerkt? Ga dan zelf eens aan de slag met *ontwerpen*. Wat helpt is een klein beetje wiskundig inzicht. Teken een eigen model, breng de vorm terug naar een basismodel en vul dat met regelmatig verspringende vakjes. Kunst is wel om de vulling passend te maken bij dat model en om de 'pupil', het centrum, op de door jouw gewenste plaats te krijgen. Zo ontwerp je zelf en maak je oorspronkelijke, eigen IRISvouw modellen! Daarna ga je heerlijk spelen met kleuren, van lekker knallend tot zachte tinten en alles daar tussenin, als er maar een duidelijk kleurcontrast is, zodat de draaiing in de iris zichtbaar wordt.

Als ontwerper van meer dan 150 IRISvouw modellen wens ik iedereen veel succes!

Maruscha

In this latest IRIS folding book you will find lots of mini patterns using all the colours of the rainbow! You can make endless beautiful cards, decorations for your scrap book, gift labels and Artist trading cards. Use the small scale patterns or enlarge them to the size you need. You can design original craft cards with your own paper strips.

This is the twelfth book with patterns for the IRIS folding technique. Have you been through them all? Then why not try and start designing yourself. It helps if you take a slightly mathematical perspective. Draw a pattern, return the shape to a basic template and cover this with regularly changing sections. However, it is an art to design the pattern correctly and to position the 'iris', the centre, exactly where you want it. This way you can create your own designs and your own original IRIS folding patterns! Having done this, you can play around with colours, from dazzling bright to softer tints and anything in between, as long as there is an obvious colour contrast to draw the attention to the rotation in the iris.

As a designer of over 150 IRIS folding patterns I wish everyone lots of success!

Maruscha

Technieken *Techniques*

Uitgangspunt bij IRISvouwen is het model. De omtrek van dat model snijd of knip je uit de achterkant van je kaart en het gat vul je vervolgens van buiten naar binnen op met gevouwen strookjes papier. Je werkt aan de achterkant van je kaart - dus in spiegelbeeld! - en plakt aan het eind je werkstuk op een andere kaart. Voor een vierkant model kies je b.v. vier verschillende stukjes papier, waarvan de motiefjes en kleuren mooi combineren en contrasteren. Knip of snijd het papier op dezelfde manier in strookjes: b.v. van rechts naar links. Het aantal strookjes per kleur in een model ligt tussen drie en zes. Bij deze minimodellen is per kleur vaak één strookje van 15x1,5 cm al voldoende! Je vouwt van alle strookjes direct een randje om en legt soort bij soort in groepjes. Je bedekt vakje na vakje door de nummers te volgen (1, 2, 3, 4, 5 enz.) en steeds van kleur te wisselen. De strookjes leg je met de vouwkant naar het midden van het model en je plakt ze links en rechts op de kaart vast met gewoon plakband. Het centrum sluit je met een schitterend stukje holografisch papier.

Het basismodel
(zie pag. 6 rechtsonder en kaart 1 pag. 9)
Het is belangrijk te starten met *basismodel matruska*, want daarmee leer je de unieke vouw- en plakmanier, die je voor alle modellen nodig hebt. Je zult merken dat je snel vertrouwd raakt met de techniek van het IRISvouwen.

De voorbereiding
1. Leg het witte kaartje van 8,5 x 6,5 cm met de *achterkant* naar je toe.
2. Trek met potlood de omtrek van de matruska op je kaart over met je hulp van de lichtbak en snijd de vorm uit.
3. Zet een kopie van model 1 uit dit boekje met tape vast op je snijmat.
4. Leg de kaart met het gat precies op het model (je kijkt weer tegen de achterkant van de kaart aan) en zet hem vast op je snijmat met *alleen* links een paar stukjes schilderstape.
5. Kies vier vellen papier met verschillende motiefjes.

Voor de kaart op blz. 6 rechtsonder zijn gebruikt: vier verschillende dessins in origami rood.
6. Knip hiervan strookjes van *1,5 cm breed* en maak stapeltjes van kleur a, kleur b, kleur c en kleur d.
7. Vouw van elk strookje over de hele lengte een smal randje om met de *mooie kant naar buiten*.

Het IRISvouwen
8. Neem één gevouwen strookje van kleur a en leg dit op z'n kop over vak 1 precies tegen de lijn van het model met de vouwkant *naar het midden*. Laat links en rechts iets oversteken, de rest knip je af. Daarbij steekt het strookje ook aan de onderkant wat over de rand van het model, zodat vak 1 helemaal bedekt is.
9. Plak het links en rechts op de kaart vast met een klein stukje plakband, blijf daarbij 0,5 cm van de kaartzijkant.
10. Neem kleur b en leg het strookje op vak 2 van het model. Plak weer links en rechts vast.
11. Neem kleur c en leg op vak 3. Plak vast.
12. Neem kleur d, leg op vak 4 en plak vast.
13. Je gaat verder met kleur a op vak 5 en kleur b op 6, kleur c op 7 en kleur d op 8.
NB Vakje 17 is er *niet*, dus dat strookje van kleur a *vervalt*! Ga door met kleur b op vakje 18!
De strookjes op de vakken 1, 5, 9 en 13 van dit model hebben dus allemaal kleur a. De strookjes op 2, 6, 10, 14 en 18 hebben allemaal kleur b, de strookjes op 3, 7, 11, 15 en 19 zijn van kleur c en de strookjes op 4, 8, 12, 16 en het kleine puntje 20 zijn van kleur d.

De afwerking
Na vak 20 haal je het kaartje los. Op het centrum plak je aan de achterkant een stukje holografisch papier. Om de kaart af te werken kunnen ponsen, vellen sierpapier en geknipte toevoegingen gebruikt worden. Plak dubbelzijdig plakband langs de randen, of gebruik foamtape om de dikte te overbruggen. Verwijder de beschermlaag en bevestig je werkstuk op een dubbel kaartje. Gebruik geen lijm, want door alle papierstrookjes staat er spanning op de kaart.

The starting point with any IRIS folding is the pattern. You begin by cutting out the frame of the pattern from the back of your card and subsequently build inwards with folded paper strips. You work on the back of your window – in mirror image! – and then finally place your work on another piece of card. For a square pattern you could, for example, choose four different coloured or patterned papers which harmonise and contrast well. Trim or cut the paper similarly into strips: for example, from right to left. The total number of strips per colour in a pattern is between three and six. With these mini patterns one strip of 15 x 1.5cm per colour is sufficient! With all strips you immediately fold a rim and place them into separate piles. Cover section after section by following a numerical order (1, 2, 3, 4, 5 etc.) and alternating the colours. You place the strips with the fold facing towards the centre of the pattern and attach these left to right onto the card with tape. You cover the centre with a magnificent piece of holographic paper.

The basic pattern
(see page 6 bottom right and card 1 page 9)
It is important to start with basic pattern matruska, as this teaches you the unique way of folding and fixing which you will need for all patterns. You will notice that you easily become confident with the technique of IRIS folding.

Preparation
1. Place the white card measuring 8.5 x 6.5cm with the back towards you.
2. Use a pencil to draw the outline of the matruska on your card with the help of the light box and cut out the pattern.
3. Tape a copy of pattern 1 from this book onto your cutting mat.
4. Place the card with the hole exactly on the pattern (again you are facing the back of the card) and secure it to your cutting mat with a few pieces of masking tape.
5. Choose four sheets of paper with different designs. For the card on page 6 bottom right, four different designs have been used in origami red.
6. Cut these into strips of 1.5cm wide and make separate piles of colour a, colour b, colour c and colour d.

7. Fold each strip lengthwise with the patterned side outwards.

IRIS folding
8. Take a folded strip of colour a and place it upside down over section 1 against the line of the pattern with the folded edge towards the middle. Keep some strips either side and trim the excess. The strip at the bottom should also slightly overlap the edge of the pattern so that section 1 is totally covered.
9. Attach it left and right on the card with a small piece of tape, 0.5cm from the card's edge.
10. Take colour b and place the strip on section 2 of the pattern. Again attach it left and right.
11. Take colour c and place on section 3. Attach it.
12. Take colour d, place on section 4 and attach it.
13. Continue with colour a on section 5, and colour b on 6, colour c on 7 and colour d on 8.
NB Section 17 is not there so that particular strip of colour a is cancelled! Continue with colour b on section 18!

The strips on sections 1, 5, 9 and 13 of this pattern all have colour a. The strips on 2, 6, 10, 14 and 18 all have colour b, the strips on 3, 7, 11, 15 and 19 are colour c and the strips on 4, 8, 12, 16 and the little dot 20 are colour d.

Finishing
Having completed section 20 you remove the card. Tape a piece of holographic paper at the back on the centre. To finish the card you can use punching, decorating paper and cut outs. Attach double sided tape along the edges or use foam tape to bridge the thickness. Remove the protective layer and attach your work onto a double card. Do not use glue as there is tension on the card because of the paper strips.

Stap voor stap *Step-by-step*

Alle kleuren van de regenboog van papier!
All paper colours of the rainbow!

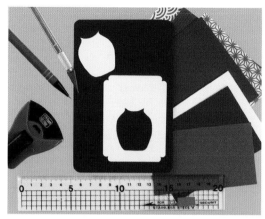

Snijd het model uit de achterkant van de enkele kaart.
Cut the pattern out of the back of a single card.

Plak de gevouwen strookjes volgens nummer op de kaart.
Fix the folded strips in numerical order onto the card.

Klap de kaart tussendoor open.
Unfold the card in between.

Gebruikte materialen *Materials*

Kaarten maken
- kaartenkarton:
  Canson Mi-Teintes (C), cArt-us (cA),
  Papicolor (P)
- snijmesje, snijmat
- liniaal met metalen snijrand (Securit)
- plakband
- dubbelzijdig plakband
- foamtape
- schilderstape
- hoekponsen en ponsjes (MakeMe!, Fiskars, Carl)
- schaar en silhouetschaartje
- hoekscharen (Fiskars)
- gaatjestang
- pincet
- fineliner zwart
- fotolijm
- lichtbak

Het IRISvouwen
- strookjes van: gebruikte enveloppen
- IRISvouwpapier (hierna: IVpapier) • enkelzijdig en
  dubbelzijdig (hierna: e.z. en d.z.) origami papier
- Tassotti papier en design papier.
- het centrum: holografisch papier

De modellen
De modellen voor alle kaartjes staan op ware grootte
in dit boekje. Neem de omtrek over met de lichtbak. De
vormen zijn met een scherp mesje goed uit kaartkarton
te snijden of met silhouetschaartje te knippen. Gebruik
de gaatjestang voor ringetjes en rondjes en de fineliner
voor alle tekeningetjes.

To make the cards:
- *card: Canson Mi-Teintes (C), cArt-us
  (cA), Papicolor (P)*
- *cutting knife, cutting mat*
- *ruler with metal cutting edge (Securit)*
- *tape*
- *double sided tape*
- *foam tape*
- *masking tape*
- *corner punchers and punchers (MakeMe!, Fiskars,
  Carl)*
- *pair of scissors and silhouette scissors*
- *corner scissors (Fiskars)*
- *hole punch*
- *tweezers*
- *fine liner black*
- *photo glue*
- *light box*

The IRIS folding
- *strips of: used envelopes • IRIS folding paper
  (hereafter: IFpaper) • single sided and double sided
  (hereafter: s.s. and d.s.) origami paper • Tassotti paper
  and design paper.*
- *the centre: holographic paper*

The patterns
*The patterns for all cards in this book are shown as
actual size. Draw the outline using the light box. You
can easily cut out the patterns from card with a sharp
knife or cut with silhouette scissors. Use the hole punch
for rings and circles and the fine liner for all drawings.*

Rood *Red*

Kaart 1 *Card 1*

Karton 8 x 16 cm en 9 x 6,5 cm wit, 10,5 x 7 cm kerstrood
P43, 10,5 x 6,5 cm felrood C506 • Model matruska •
1,5 cm brede strookjes van 4x origami rood (o.a. d.z. kraft,
ryomen II) • 3 x 3 cm origami rood (shuffle) voor haar en
zachtroze (clean harmony) voor gezichtje • Holografisch
papier regenboog • Hoekpons Accolade
Zie pag. 4 en 6 en 10.

*Card 8 x 16cm and 9 x 6.5cm white, 10.5 x 7cm Christmas
red P43, 10.5 x 6.5cm bright red C506 • Pattern matruska
• 1.5cm wide strips of 4x origami red (e.g. d.s. kraft,
ryomen II) • 3 x 3cm origami red (shuffle) for hair soft
pink (clean harmony) for face • Holographic paper
rainbow• Corner punch Accolade
See pages 4 and 6.*

Kaart 2 *Card 2*

Karton 9 x 18 cm cerise P33, 7 x 7 cm kerstrood,
6,5 x 6,5 cm brons P164 • Model appeltje • 1,5 cm brede
strookjes van 4x envelop rood (Sogeti, Dyade, Castella,
Nat.Ned.) • Holografisch papier zachtrood

*Card 9 x 18cm cerise P33, 7 x 7cm Christmas red,
6.5 x 6.5cm bronze P164 • Pattern apple • 1.5cm wide
strips of 4x envelope red (Sogeti, Dyade, Castella, Nat.
Ned.) • Holographic paper soft red*

Kaart 3 *Card 3*

Karton 10,5 x 15 cm wijnrood P36, 7,5 x 5,8 cm bloesem
P34 • Papier 9 x 6,3 cm origami rood (kyoseishi) • Model
kerstbal • 1,5 cm brede strookjes van 3x origami rood (e.z.
effen, d.z. effen, d.z. flowery 6) • Holografisch papier rood

Zie kaart 4, hoofdstuk Turkoois.

*Card 10.5 x 15cm wine red P36, 7.5 x 5.8cm blossom
P34 • Paper 9 x 6.3cm origami red (kyoseishi) • Pattern
Christmas ball • 1.5cm wide strips of 3x origami red (s.s.
plain, d.s. plain, d.s. flowery 6) • Holographic paper red*

See card 4, chapter Turquoise.

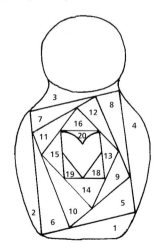

Matruska
Matruska

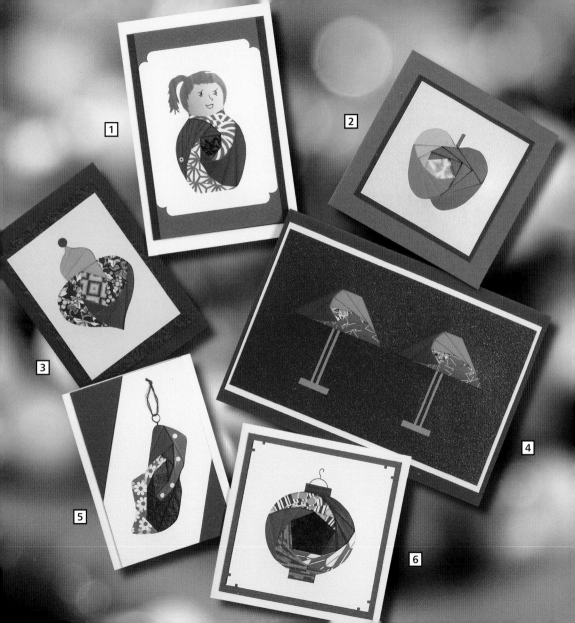

Kaart 4 *Card 4*

Karton 21 x 14,8 cm aubergine P604, 9,2 x 14,5 cm lichtroze C103, 8,5 x 14 cm aubergine P146 • Model lampje • 1,5 cm brede strookjes van 2x origami rood (d.z. effen, d.z. streep) en 1x IVpapier donkerrood • Holografisch papier koper

Snijd het kapje 2x uit de kleinste kaart. Knip steel en voet uit papier en plak ze op.

Card 21 x 14.8cm aubergine P604, 9.2 x 14.5cm light pink C103, 8.5 x 14cm aubergine P146 • Pattern lamp • 1.5cm wide strips of 2x origami red (d.s. plain, d.s. stripe) and 1x IFpaper dark red • Holographic paper copper

Cut the shade 2x out of the smallest card. Cut out the stand and base and attach.

Kaart 5 *Card 5*

Karton 9,5 x 14 cm en 6 x 9,5 cm wit, 6 x 9,5 cm fiëstarood P12 • Model klompje • 1,5 cm brede strookjes van 3x origami rood (kyoseishi, ryomen stip, d.z. flowery 6) en 1x envelop rood (Dyade R'dam) • Holografisch papier rood • Garen rood

Schuin de kleine witte kaart af met twee driehoeken: l.b. 5,8 x 3 cm en r.o. 2 x 4 cm.

Card 9.5 x 14cm and 6 x 9.5cm white, 6 x 9.5cm fiesta red P12 • Pattern clog • 1.5cm wide strips of 3x origami red (kyoseishi, ryomen dot, d.s. flowery 6) en 1x envelope red • Holographic paper red • Cotton red

Slant the small white card with two triangles: left top 5.8 x 3cm and right bottom 2 x 4cm.

Kaart 6 *Card 6*

Karton 9 x 18 cm en 7,5 x 7,5 cm wit, 8,2 x 8,2 cm fiëstarood P12 • Model lampion • 1,5 cm brede strookjes van 2x envelop rood (Domen1ca, Avans) en 3x origami rood (o.a.Jap.mix, d.z. kraft) • Holografisch papier regenboog • Hoekpons Speer

Zie kaart 2, hoofdstuk Paars.

Card 9 x 18cm and 7.5 x 7.5cm white, 8.2 x 8.2cm fiesta red P12 • Pattern Chinese lantern • 1.5cm wide strips of 2x envelope red (Domen1ca, Aofs) and 3x origami red (e.g.Jap.mix, d.s. kraft) • Holographic paper rainbow • Corner punch Spear

See card 2, chapter Purple.

Roze *Pink*

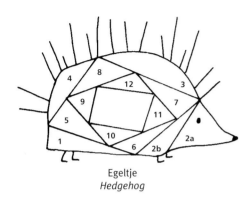

Egeltje
Hedgehog

Kaart 1 *Card 1*

Karton 18 x 14,8 cm warmroze cA485, 8 x 14 cm abrikoos P24, 2 x 13,5 cm cerise P33, 6,5 x 13,5 cm zachtroze cA480 • Model egeltje • 1,5 cm brede strookjes van 8x origami roze (iridorino chiyogami, d.z. streep) • Holografisch papier roze

Trek met potlood op de achterkant van de zachtroze kaart de egeltjes over, gewoon en in spiegelbeeld, ook stekeltjes en pootjes. Teken met fineliner de stekels en pootjes aan de voorkant. Knip de bovenste hoeken van de zachtroze kaart rond en snijd beide egeltjes uit. Teken na het IRISvouwen oogjes en snuitpunt. Plak de cerise strook onderlangs, dan op abrikoos karton en tot slot op de dubbele kaart.

Card 18 x 14.8cm warm pink cA485, 8 x 14cm apricot P24, 2 x 13.5cm cerise P33, 6.5 x 13.5cm soft pink cA480 • Pattern hedgehog • 1.5cm wide strips of 8x origami pink (iridorino chiyogami, d.s. stripe) • Holographic paper pink

Use a pencil to trace the hedgehogs onto the back of the soft pink card and also a mirror image, including needles and paws. Draw the needles and paws at the front using a fine liner. Cut the top corners of the soft pink card round and cut out both hedgehogs. Draw the eyes and nose after the IRIS folding. Fix the cerise strip underneath, then onto apricot card and finally onto the double card. Fix the cerise strip underneath, then onto apricot card and finally onto the double card.

Kaart 2 *Card 2*

Karton 10,5 x 21 cm felroze P606, 8 x 8 cm roze P605 • Model lampion • 1,5 cm brede strookjes van 5x origami roze (o.a. e.z. effen, ryomen II, folie ass.) • Holografisch papier roze

Gebruik voor A en B kleur c.

Card 10.5 x 21cm bright pink P606, 8 x 8cm pink P605 • Pattern chinese lantern • 1.5cm wide strips of 5x origami pink (e.g. s.s. plain, ryomen II, foil ass.) • Holographic paper pink

For A and B use colour c.

Kaart 3 *Card 3*

Karton 14,8 x 21 cm roze P605, 14,8 x 8,8 cm spiegel roze, 14,8 x 7 cm lichtroze C103 • Model spiegeltje • 1,5 cm brede strookjes van 4x origami roze (o.a. floral harmony, ryomen II) • Spiegelpapier roze P123

Zie kaart 1, hoofdstuk Turkoois.

Card 14.8 x 21cm pink P605, 14.8 x 8.8cm mirror pink, 14.8 x 7cm light pink C103 • Pattern mirror • 1.5cm wide strips of 4x origami pink (e.g. floral harmony, ryomen II) • Mirror paper pink P123

See card 1, chapter Turquoise.

Kaart 4 *Card 4*

Karton 10 x 20 cm roze P184, 6 x 8 cm bloesem • Model spaarvarkentje • 1,5 cm brede strookjes van 4x origami roze (Jap. motievenmix, d.z. effen, d.z. streep, d.z. parelmoer) • Holografisch papier regenboog

Zie kaart 1, hoofdstuk blauw.

Card 10 x 20cm pink P184, 6 x 8cm blossom • Pattern piggy bank • 1.5cm wide strips of 4x origami pink (Jap. design mix, d.s. plain, d.s. stripe, d.s. pearly white) • Holographic paper rainbow

See card 1, chapter blue.

Kaart 5 *Card 5*

Karton 7,5 x 15 cm cerise P33, 5 x 5 cm wit • Model juweel • 1,5 cm brede strookjes van 2x Tassotti bloesem roze en 2x origami roze (e.z. effen, d.z. effen gelijk)

Snijd het juweel uit wit karton. Teken na het IRISvouwen een ophangoogje.

Card 7.5 x 15cm cerise P33, 5 x 5cm white • Pattern jewel • 1.5cm wide strips of 2x Tassotti blossom pink and 2x origami pink (s.s. plain, d.s. plain equal)

Cut the jewel out of the white card. Draw an eyelet after the IRIS folding.

Kaart 6 *Card 6*

Karton 8 x 16 cm roze, 10,3 x 7,5 cm bloesem, 9,5 x 7 cm roze P605 • Model matruska • 1,5 cm brede strookjes van 3x origami roze (e.z. effen, ryomen II, ryomen stip) en 1x designpapier taartjes • 3 x 3 cm roze voor hoed en zachtroze voor gezichtje • Holografisch papier parelmoer; Hoekschaar Nostalgia

Let op: geen vakje 17, dus geen strookje kleur a!

Card 8 x 16cm pink, 10.3 x 7.5cm blossom, 9.5 x 7cm pink P605 • Pattern matruska • 1.5cm wide strips of 3x origami pink (s.s. plain, ryomen II, ryomen dot) and 1x design paper cakes • 3 x 3cm pink for hat and soft pink for face • Holographic paper pearly white; Corner scissors Nostalgia

Take Note! no section 17, no strip colour a!

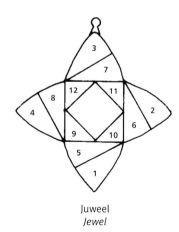

Juweel
Jewel

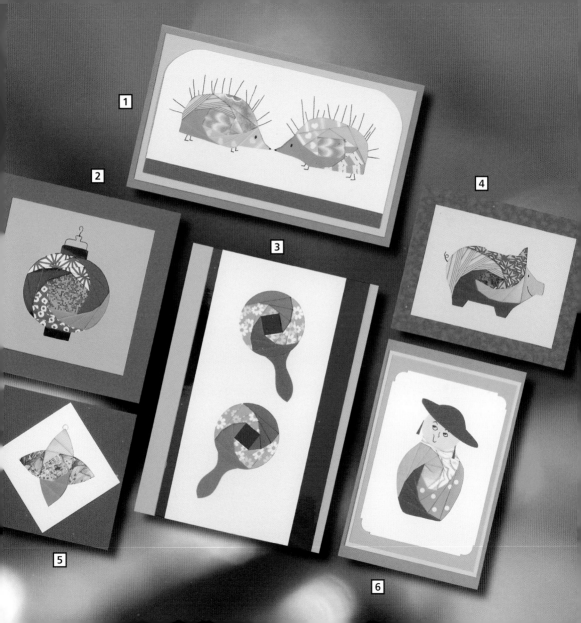

Oranje *Oranje*

Kaart 1 *Card 1*

Karton 8 x 16 cm donkeroranje P608, 7 x 7 cm wit
• IVpapier 7,4 x 7,4 cm brons • Model lampje
• 1,5 cm brede strookjes van 3x IVpapier oranje/brons
• Holografisch papier brons

Snijd alleen het kapje uit en vul met de strookjes.

*Card 8 x 16cm dark orange P608, 7 x 7cm white • IFpaper
7.4 x 7.4cm bronze • Pattern lamp • 1.5cm wide strips of
3x IFpaper orange/bronze • Holographic paper bronze*

Only cut out the shade and cover with the strips.

Kaart 2 *Card 2*

Karton 16 x 12 cm en 5,5 x 8 cm roomwit P612, 6 x 8 cm
lichtoranje P609 • Model egeltje • 1,5 cm brede strookjes
van 3x origami lichtoranje en bladdessin (d.z. gelijk, d.z.
flowery 1, d.z. parelmoer) en 1x brons P110 • Holografisch
papier oranje • Blaadjes uit hoekpons Leaves

Laat de voetjes weg en teken oogje en stekeltjes in
slaapstand.

*Card 16 x 12cm and 5.5 x 8cm off-white P612, 6 x 8cm light
orange P609 • Pattern hedgehog • 1.5cm wide strips of
3x origami light orange and leaf design (d.s. equal, d.s.
flowery 1, d.s. pearly white) and 1x bronze P110
• Holographic paper orange • Leaves from corner punch
Leaves*

*Leave out the paws and draw eye and needles in sleeping
position.*

Kaart 3 *Card 3*

Karton 12,5 x 25 cm en 1 x 4 cm roest P186, 8,8 x 8,8 cm
glansoranje, 7 x 7 cm ivoorwit • Perkaline 9,5 x 9,5 cm
camee • Model lampion • 1,5 cm brede strookjes van
5x origami oranje (e.z. effen, iridorino chiyogami, decor
kratz, ryomen stip, folie ass.) • Holografisch papier brons

*Card 12.5 x 25cm and 1 x 4cm rust P186, 8.8 x 8.8cm
glossy orange, 7 x 7cm ivory white • Perkaline 9.5x9.5cm
camee • Pattern chinese lantern • 1.5cm wide strips of
5x origami orange (s.s. plain, iridorino chiyogami, decor
kratz, ryomen dot, foil ass.) • Holographic paper bronze*

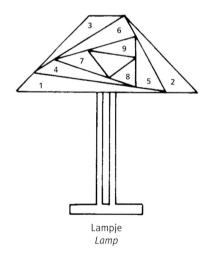

Lampje
Lamp

Kaart 4 *Card 4*

Karton 10,5 x 14 cm oranje P608, 8 x 6 cm lichtoranje P609; Vellum 10,5 x 6 cm ivoor satin • Model appeltje • 1,5 cm brede strookjes van 4x origami oranje (e.z. effen, ryomen II, d.z. effen)

Card 10.5 x 14cm orange P608, 8 x 6cm light orange P609; Vellum 10.5 x 6cm ivory satin • Pattern apple • 1.5cm wide strips of 4x origami orange (s.s. plain, ryomen II, d.s. plain)

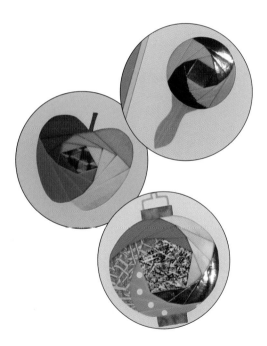

Kaart 5 *Card 5*

Karton 8,5 x 16 cm oranje, 8,5 x 6,5 cm mango, 8,5 x 6 cm lichtmango • Model spiegeltje • 1,5 cm brede strookjes van 4x origami oranje (line harmony, shuffle, folie ass.)

Kaart met klompjes op blz. 1

Karton 14,8 x 21 cm en 8,5 x 8 cm wit • Model klompje • Papier 8,5 x 8,5 cm origami oranje (ryomen II) en 2 repen van 2 x 8 cm Pergamano Tegeltjes • 1,5 cm brede strookjes van 4x origami oranje (o.a. Jap.mix, ryomen II) • Holografisch papier oranje

Plak na het IRISvouwen de klompjes op het vel origami oranje. Bevestig de repen met tegeltjes aan boven- en onderkant en plak alles op de dubbele witte kaart.

Card 8.5 x 16cm orange, 8.5 x 6.5cm mango, 8.5 x 6cm light mango • Pattern mirror • 1.5cm wide strips of 4x origami orange (line harmony, shuffle, foil ass.)

Card with clogs on page 1

Card 14.8 x 21cm and 8.5 x 8cm white • Pattern clog • Paper 8.5 x 8.5cm origami orange (ryomen II) and 2 strips of 2 x 8cm Pergamano Tile • 1.5cm wide strips of 4x origami orange (e.g. Jap.mix, ryomen II) • Holographic paper orange

Attach the clogs onto the sheet origami orange after the IRIS folding. Attach the strips with tiles on top and bottom and attach everything onto the double white card.

Geel *Yellow*

Kaart 1 *Card 1*

Karton 8 x 16 cm mosterdgeel P48, 6,5 x 6,5 cm wit
• Model appeltje • 1,5 cm brede strookjes van 4x origami
regenboog (rainbow color) • Holografisch papier goud

Snijd het liggende appeltje uit het witte karton. Knip de
strookjes, sorteer op kleur, vul de appel en dek af met
de holografische 'pitjes'. Plak alles op het dubbele gele
kaartje.

Card 8 x 16cm mustard yellow P48, 6.5 x 6.5cm white
• Pattern apple • 1.5cm wide strips of 4x origami rainbow
(rainbow colour) • Holographic paper gold

Cut the apple out of the white card. Cut the strips,
separate the colours, cover the apple and finish off with
the holographic 'pips'. Attach everything to the double
yellow card.

Kaart 2 *Card 2*

Karton 21 x 14,8 cm sinaasappel P135, 4 x 14,8 cm
zachtgeel P611, 4 x 14,8 cm geel P610, 6 x 14,8 cm wit
• Model klompje • 1,5 cm brede strookjes van 4x origami
geel (e.z. effen, ryomen II, d.z. flora, d.z. streep)
• Holografisch papier geel

Card 21 x 14.8cm fruity orange P135, 4 x 14.8cm soft
yellow P611, 4 x 14.8cm yellow P610, 6 x 14.8cm white
• Pattern clog • 1.5cm wide strips of 4x origami yellow
(s.s. plain, ryomen II, d.s. flora, d.s. stripe) • Holographic
paper yellow

Kaart 3 *Card 3*

Karton 16 x 12 cm zachtgeel P611, 7 x 10,5 cm nootbruin
P39, 6,5 x 9 cm zachtgeel P132 • Model egeltje
• 1,5 cm brede strookjes van 4x envelop geelbruin (o.a.
VPZ, H.Bloem) • Holografisch papier goud
• 3-in-1 hoekpons Leaves

Card 16 x 12cm soft yellow P611, 7 x 10.5cm nut brown
P39, 6.5 x 9cm soft yellow P132 • Pattern hedgehog •
1.5cm wide strips of 4x envelope yellow brown
• Holographic paper gold • 3-in-1 corner punch Leaves

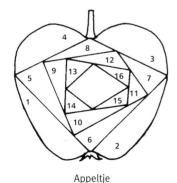

Appeltje
Apple

Kaart 4 *Card 4*

Karton 12,5 x 16 cm mosterdgeel P48, 11 x 7,5 cm dottergeel P10, 11 x 6,5 cm wit • Model vaasje • 1,5 cm brede strookjes van 2x origami geel (d.z. flowery 6) en 2x IVpapier goudgeel • Holografisch papier goud • Bloemen uit diverse ponsjes

Let op: geen vakjes 5 en 7. Zie kaart 1, hoofdstuk Groen.

Card 12.5 x 16cm mustard yellow P48, 11 x 7.5cm buttercup yellow P10, 11 x 6.5cm white • Pattern vase • 1.5cm wide strips of 2x origami yellow (d.s. flowery 6) and 2x IFpaper gold yellow • Holographic paper gold • Flowers from different punches

Take Note! no sections 5 and 7. See card 1, chapter Green.

Kaart 5 *Card 5*

Karton 12,5 x 25 cm zonnebloem P134, 9 x 9 cm zachtgeel P132 • Papier 10 x 10 cm holografisch goud met ster • Model lampion • 1,5 cm brede strookjes van 3x envelop geel (o.a. ANWB) en 2x origami goud (decor kratz, folie ass.) • 1 x 5 cm zwart papier voor A en B • Holografisch papier goud • Pons Aziatisch teken

Gebruik de helft van het ponsmotief op de hoeken van de kleinste kaart.

Card 12.5 x 25cm sunflower P134, 9 x 9cm soft yellow P132 • Paper 10 x 10cm holographic gold with star • Pattern Chinese lantern • 1.5cm wide strips of 3x envelope yellow and 2x origami gold (decor kratz, foil ass.) • 1 x 5cm black paper for A and B • Holographic paper gold • Punch Asian sign

Use half of the punch design on the corners of the smallest card.

Groen *Green*

Kaart 1 *Card 1*

Karton13 x 13 cm grasgroen P07, 12 x 12 cm wit • Papier
12,5 x 12,5 cm envelop lime • Model vaasje • 1,5 cm brede
strookjes van 4x envelop groen (Inholland, CFI, Gem.
A'doorn, AOb) • 7 x 10 cm envelop lime en groen voor blad
• Holografisch papier goud

Snijd het vaasje uit wit karton. Let op: bij het IRISvouwen
ontbreken vakje 5 en 7, dus *kleur a* en *kleur c* in die
ronde *overslaan*! Leg twee enveloppen met de kleurkant
op elkaar en knip het bladmotief in één keer uit. Plak ze
boven de vaas. Bevestig de witte kaart op het lime vel en
dan op de dubbele groene kaart

*Card13 x 13cm grass green P07, 12 x 12cm white • Paper
12.5 x 12.5cm envelope lime • Pattern vase • 1.5cm wide
strips of 4x envelope green • 7 x 10cm envelope lime and
green for leaf • Holographic paper gold*

*Cut the vase out of the white card. Take Note! sections
5 and 7 of the IRIS folding are missing, so skip colour a
and colour c in that round! Place two envelopes on top of
each other with the colour side facing inwards and cut out
the leaf design in one go. Attach these above the vase.
Attach the white card onto the lime sheet and then onto
the green card.*

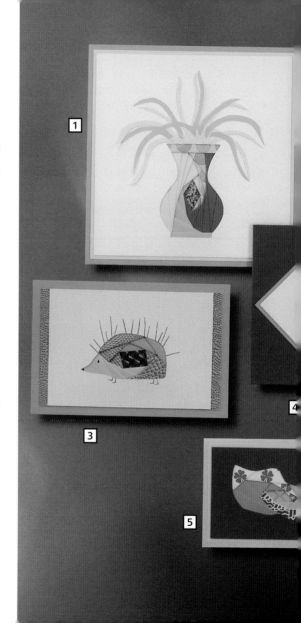

Kaart 2 *Card 2*

Karton 12,5 x 25 cm en 7 x 7 cm frisgroen P130, 10,6 x 10,6 cm grasgroen P07, 10 x 10 cm olijfgroen P45 • Model lampion • 1,5 cm brede strookjes van 5x origami groen (decor kratz, d.z. gelijk, d.z. flowery 6, folie ass.) • Holografisch papier goud • Hoekpons Speer

Card 12.5 x 25cm and 7 x 7cm fresh green P130, 10.6 x 10.6cm grass green P07, 10 x 10cm olive green P45 • Pattern Chinese lantern • 1.5cm wide strips of 5x origami green (decor kratz, d.s. equal, d.s. flowery 6, foil ass.) • Holographic paper gold • Corner punch Spear

Kaart 3 *Card 3*

Karton 16 x 12 cm grasgroen P07, 7 x 10 cm lindegroen • Papier 7 x 11 cm reptieldessin groen P304 • Model egeltje • 1,5 cm brede strookjes van 2x envelop groen (Ver. Natuurmonumenten, CBA) en 2x reptieldessin groen P304 • Holografisch papier groen

Card 16 x 12cm grass green P07, 7 x 10cm lime green • Paper 7 x 11cm reptile design green P304 • Pattern hedgehog • 1.5cm wide strips of 2x envelope green and 2x reptile design green P304 • Holographic paper green

Kaart 4 *Card 4*

Karton 9,5 x 17 cm kerstgroen P18, 6,4 x 6,4 cm grasgroen P07, 6 x 6 cm wit • Model appeltje • 1,5 cm brede strookjes van 4x origami groen en rood (shuffle, d.z. kraft, d.z. parelmoer) • Holografisch papier groen

Card 9.5 x 17cm Christmas green P18, 6.4 x 6.4cm grass green P07, 6 x 6cm white • Pattern apple • 1.5cm wide strips of 4x origami green and red (shuffle, d.s. kraft, d.s. pearly white) • Holographic paper green

Kaart 5 *Card 5*

Karton 13 x 9 cm mint P138, 5,8 x 8 cm kerstgroen P18
• Transparent 6 x 8,5 cm kiwi P149 • Model klompje
• 1,5 cm brede strookjes van 1x designpapier wafeltjes
groen, 2x envelop groen (CBA, Aob Utrecht) en 1x origami
groen (ass. Italia) • Holografisch papier groen

*Card 13 x 9cm mint P138, 5.8 x 8cm Christmas green P18
• Transparent 6 x 8.5cm kiwi P149 • Pattern clog • 1.5cm
wide strips of 1x design paper waffle green, 2x envelope
green and 1x origami green (ass. Italia) • Holographic
paper green*

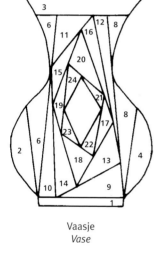

Vaasje
Vase

Kaart 6 *Card 6*

Karton 14,8 x 21 cm lichtgroen P624, 10,4 x 7,7 cm groen
P623, 9 x 6,5 cm wit • Origami 10,8 x 8,2 cm groen (decor
kratz) • Model matruska • 1,5 cm brede strookjes van 4x
origami groen (decor kratz, ryomen II, d.z. flowery 6, folie
ass.) • 3 x 3 cm origami groen voor haar en zachtgroen
(clean harmony) voor gezichtje • Holografisch papier
groen • Hoekschaar Nostalgia

Let op: geen vakje 17!

*Card 14.8 x 21cm light green P624, 10.4 x 7.7cm green
P623, 9 x 6.5cm white • Origami 10.8 x 8.2cm green
(decor kratz) • Pattern matruska • 1.5cm wide strips of
4x origami green (decor kratz, ryomen II, d.s. flowery 6,
foil ass.) • 3 x 3cm origami green for hair and soft green
(clean harmony) for face • Holographic paper green
• Corner scissors Nostalgia*

Take Note!: no section 17!

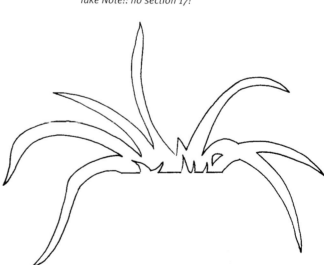

Turkoois *Turquoise*

Kaart 1 *Card 1*

Karton 10,5 x 21 cm mint cA331, 9,4 x 9 cm blauwgroen,
7,4 x 7 cm wit • Model spiegeltje • 1,5 cm brede strookjes
van 4x envelop groen (o.a. Dienst OC&W, Cardian)
• Spiegelpapier zilver

Snijd een cirkeltje Ø 3,6 cm uit het witte karton en vul met
de strookjes. Trek het handvat over en plak het tegen de
cirkelrand. Plak het witte kaartje schuin op blauwgroen
en dan op de dubbele kaart.

Card 10.5 x 21cm mint cA331, 9.4 x 9cm blue green,
7.4 x 7cm white • Pattern mirror • 1.5cm wide strips of
4x envelope green • Mirror paper silver

Cut a circle Ø 3.6cm from the white card and fill with the
strips. Trace the handle and glue it to the edge of the
circle. Glue the white card diagonally onto blue green and
then onto the double card.

Kaart 2 *Card 2*

Karton 12 x 20 cm turkoois, 9 x 7 cm wit P108 • Papier 11,4
x 9,5 cm India turkoois met blad • Model lampje
• 1,5 cm brede strookjes van 3x origami blauwgroen (e.z.
effen, line harmony, d.z. effen) • Holografisch papier
blauwgroen

Card 12 x 20cm turquoise, 9 x 7cm white P108 • Paper 11.4
x 9.5cm India turquoise with leaf • Pattern lamp
• 1.5cm wide strips of 3x origami blue green (s.s. plain,
line harmony, d.s. plain) • Holographic paper blue green

Kaart 3 *Card 3*

Karton 13 x 10 cm turkoois, 5,5 x 9 cm mint • Model
klompje • 1,5 cm brede strookjes van 4x envelop groen
(Interpolis, Gem. Arnhem, VBKO Den Haag) • Holografisch
papier turkoois

Plak strookjes enveloppenpapier groen achter boven- en
onderkant van het mint kaartje.

Card 13 x 10cm turquoise, 5.5 x 9cm mint • Pattern clog
• 1.5cm wide strips of 4x envelope green • Holographic
paper turquoise

Glue strips of envelope paper green behind top and
bottom of the mind card.

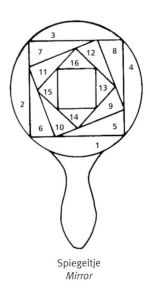

Spiegeltje
Mirror

Kaart 4 *Card 4*

Karton 14,8 x 21 cm kerstgroen P18, 10 x 7,8 cm donkergroen P16, 9 x 7 cm zeegroen P17 • Origami 10,7 x 8,5 cm groen (d.z. flowery 1) • Model kerstbal • 1,5 cm brede strookjes van 4x origami groen (o.a. d.z. kraft, d.z. flowery 1, d.z. streep) • Holografisch papier zilver

Snijd de kerstbal uit het kleinste kaartje. Versier na het IRISvouwen aan de voorkant met rondjes uit de gaatjestang. Plak de zeegroene kaart op donkergroen, op origami groen en dan op de dubbele kaart.

Card 14.8 x 21cm Christmas green P18, 10 x 7,8cm dark green P16, 9 x 7cm sea green P17 • Origami 10.7 x 8.5cm green (d.s. flowery 1) • Pattern Christmas ball • 1.5cm wide strips of 4x origami green (e.g. d.s. kraft, d.s. flowery 1, d.s. stripe) • Holographic paper silver

Cut the Christmas ball out of the smallest card. After IRIS folding decorate at the front with circles from the hole punch. Glue the sea green card onto the dark green, on origami green and then onto the double card.

Kaart 5 *Card 5*

Karton 7,5 x 15 cm korenblauw cA393, 7 x 7 cm groen cA367, 6,5 x 6,5 cm wit • Model juweel • 1,5 cm brede strookjes van 4x origami blauwgroen (Jap.mix, d.z. effen, d.z. flowery 6, d.z. parelmoer) • Holografisch papier zilver

Card 7.5 x 15cm cornflower blue cA393, 7 x 7cm green cA367, 6.5 x 6.5cm white • Pattern jewel • 1.5cm wide strips of 4x origami bluegreen (Jap.mix, d.s. plain, d.s. flowery 6, d.s. pearly white) • Holographic paper silver

Kaart 6 *Card 6*

Karton 10 x 15 cm donker petrol, 9,5 x 7,5 cm petrol, 9 x 7 cm zeegroen P17 • Model vaasje • 1,5 cm brede strookjes van 4x origami groen (soft harmony, d.z. streep) • Holografisch papier regenboog

Let op: geen vakjes 5 en 7!

Card 10 x 15cm dark petrol, 9.5 x 7.5cm petrol, 9 x 7cm sea green P17 • Pattern vase • 1.5cm wide strips of 4x origami green (soft harmony, d.s. stripe) • Holographic paper rainbow

Take Note!: no sections 5 and 7!

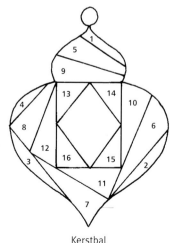

Kerstbal
Christmas ball

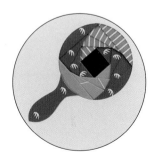

Blauw *Blue*

Kaart 1 *Card 1*

Karton 18 x 12 cm koningsblauw P136, 8 x 10,5 cm
lichtblauw P619 • Papier 8,5 x 11,2 cm Tassotti Venetië
blauw • Model spaarvarkentje • 1,5 cm brede strookjes
van 2x Tassotti Venetië blauw en 2x origami blauw
(ryomen II) • Holografisch papier blauw

Trek het model over op lichtblauw karton en teken
meteen het staartje. Snijd het varkentje uit. Vul hem met
strookjes. Teken aan de voorkant bekje en oogje. Plak
de kaart op het vel Tassotti papier en dan op de dubbele
kaart.

Card 18 x 12cm royal blue P136, 8 x 10.5cm light blue P619
• Paper 8.5 x 11.2cm Tassotti Venetian blue • Pattern
piggy bank • 1.5cm wide strips of 2x Tassotti Venetian
blue and 2x origami blue (ryomen II) • Holographic paper
blue

Trace the pattern onto the light blue card and draw the
tail first. Cut out the pig. Cover with strips. Draw snout
and eye on the front. Glue the card onto the sheet of
Tassotti paper and then onto the double card.

Kaart 2 *Card 2*

Karton 13 x 10 cm koningsblauw P136, 5,5 x 9 cm
schelpwit P190 • Model klompje • 1,5 cm brede strookjes
van 2x envelop blauw (Cadans, WSNS Breda) en 2x
IVpapier blauw • Holografisch papier blauw

Snijd het klompje uit wit karton. Vul met de strookjes.
Plak het kaartje op de dubbele blauwe kaart.

Card 13 x 10cm royal blue P136, 5.5 x 9cm shell white P190
• Pattern clog • 1.5cm wide strips from 2x envelope blue
and 2x IFpaper blue • Holographic paper blue

Cut the clog out of the white card. Cover with strips. Glue
the card onto the double blue card.

Kaart 3 *Card 3*

Karton 10,5 x 21 cm donkerblauw P621 en 7,5 x 7,5 cm wit
P618 • Papier 8,5 x 8,5 cm envelop donkerblauw en 8 x
8 cm holografisch zilver • Model lampion • 1,5 cm brede
strookjes van 5x envelop blauw (Triodosbank,
Ned.Ambassade, Woningbedrijf A'dam, ABP, Agis)
• Holografisch papier zilver

Card 10.5 x 21cm dark blue P621 and 7.5 x 7.5cm white
P618 • Paper 8.5 x 8.5cm envelope dark blue and 8 x 8cm
holographic silver • Pattern chinese lantern • 1.5cm wide
strips from 5x envelope blue • Holographic paper silver

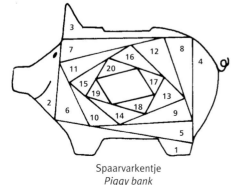

Spaarvarkentje
Piggy bank

Kaart 4 *Card 4*

Karton 10 x 13 cm champagne P163, 9 x 6 cm nachtblauw
P41 • Model spiegeltje • 1,5 cm brede strookjes van
2x Tassotti bassano blauw en 2x origami blauw (decor
marmer, d.z. effen) • Holografisch papier zilver

*Card 10 x 13cm champagne P163, 9 x 6cm night blue
P41 • Pattern mirror • 1.5cm wide strips from 2x Tassotti
bassano blue and 2x origami blue (decor marble, d.s.
plain) • Holographic paper silver.*

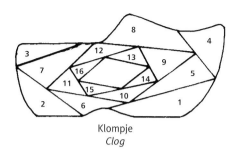

Klompje
Clog

Kaart 5 *Card 5*

Karton 14,8 x 21 cm ijsblauw P42, 10,5 x 7,8 cm
korenblauw P05, 9,5 x 7 cm donkerblauw P06 en 9 x 6,5
cm wit • Model matruska • 1,5 cm brede strookjes van
4x origami blauw (Jap. motievenmix, ryomen II, d.z. kraft),
3 x 3 cm blauw glanspapier voor haar en lichtblauw (clean
harmony) voor gezichtje • Holografisch papier zilver
Let op, geen vakje 17!

*Card 14.8 x 21cm ice blue P42, 10.5 x 7.8cm cornflower
blue P05, 9.5 x 7cm dark blue P06 and 9 x 6.5cm white
• Pattern matruska • 1.5cm wide strips from 4x origami
blue (Jap. design mix, ryomen II, d.s. kraft), 3 x 3cm blue
gloss paper for hair and light blue (clean harmony) for
face • Holographic paper silver
Take note! no section 17!*

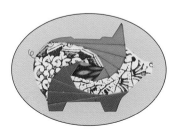

Kaart 6 *Card 6*

Karton 11 x 16 cm nachtblauw P41, 9 x 7 cm koningsblauw
P136 • Model kerstbal • 1,5 cm brede strookjes van 2x
envelop lichtblauw en 2x IVpapier zilver • Holografisch
papier zilver • Hoekpons Snowflakes

Pons een hoek van het kleinste kaartje en dek af met
holografisch papier.

*Card 11 x 16cm night blue P41, 9 x 7cm royal blue P136
• Pattern Christmas ball • 1.5cm wide strips from 2x
envelope light blue and 2x IFpaper silver • Holographic
paper silver • Corner punch Snowflakes*

*Punch a corner in the smallest card and cover with
holographic paper.*

Paars *Purple*

Kaart 1 *Card 1*

Karton 12,5 x 25 cm en 6,5 x 6,5 cm kiezel P161, 10,3 x 10,3 cm paars P46, 7,2 x 7,2 cm sering P37, 6,8 x 6,8 cm spiegel paars P124 • Model juweel • 1,5 cm brede strookjes van 4x origami paars (shuffle, ryomen II) • Holografisch papier paars

Plak na het IRISvouwen de drie kaartjes in volgorde van grootte op elkaar. Bevestig ze op de punt op paars karton en dan recht op de dubbele kaart.

Card 12.5 x 25cm and 6.5 x 6.5cm pebble P161, 10.3 x 10.3cm purple P46, 7.2 x 7.2cm lilac P37, 6.8 x 6.8cm mirror purple P124 • Pattern jewel • 1.5cm wide strips from 4x origami purple (shuffle, ryomen II) • Holographic paper purple

After the IRIS folding, glue the three cards in order of size on top of each other. Attach them onto the corner on the purple card and then straight onto the double card.

Kaart 2 *Card 2*

Karton 10,5 x 21 cm en 7,8 x 7,8 cm paars P601, 8,2 x 8,2 cm wit, 7,5 x 7,5 cm lila P603 • Model lampion • 1,5 cm brede strookjes van 6x envelop paars (o.a. AKD R'dam, Rabobank, Het Net, Gem. Breda) • Holografisch papier paars

Snijd de lampion uit lila karton. Gebruik voor A en B dezelfde kleur en vul de bol met de andere strookjes. Knip een hangertje en teken het haakje. Plak de kaartjes op elkaar.

Card 10.5 x 21cm and 7.8 x 7.8cm purple P601, 8.2 x 8.2cm white, 7.5 x 7.5cm lilac P603 • Pattern Chinese lantern • 1.5cm wide strips from 6x envelope purple • Holographic paper purple

Cut the Chinese lantern from the violet card. Use the same colour for A and B and fill the shade with the other strips. Cut a hanger and draw a hook. Glue the cards on top of each other.

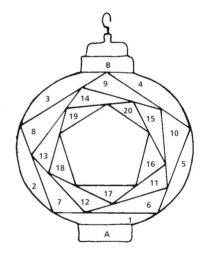

Lampion
Chinese lantern

Kaart 3 *Card 3*

Karton 6 x 17 cm aubergine P604, 5,5 x 7,5 cm lila C104 • Model spaarvarkentje • 1,5 cm brede strookjes van 4x envelop paars (Telekabel, Koerskompas, Hogeschool van A'dam, Energiemaatschappij) • Holografisch papier paars

Card 6 x 17cm aubergine P604, 5.5 x 7.5cm lilac C104 • Pattern piggy bank • 1.5cm wide strips from 4x envelope purple • Holographic paper purple

Kaart 4 *Card 4*

Karton 12 x 20 cm sering, 7,7 x 5,5 cm paars • Papier 11,2 x 9,4 cm India paars met gouden bloem, 7,7 x 7 cm crème P109 • Model vaasje • 1,5 cm brede strookjes van 4x origami lila/streep (e.z. effen, d.z. flora, d.z. streep) en crème P109 • Holografisch papier goud

Let op: geen vakjes 5 en 7!

Card 12 x 20cm lilac, 7.7 x 5.5cm purple • Paper 11.2 x 9.4cm India purple with golden flower, 7.7 x 7cm cream P109 • Pattern vase • 1.5cm wide strips from 4x origami violet/stripe (s.s. plain, d.s. flora, d.s. stripe) and cream P109 • Holographic paper gold

Take Note! no sections 5 and 7!

Kaart 5 *Card 5*

Karton 14,8 x 21 cm en 9 x 6,5 cm wit, 12,5 x 8 cm lila P14, 12 x 7,5 cm paars P46 • Model matruska • 1,5 cm brede strookjes van 3x origami paars (shuffle, ryomen II, d.z. parelmoer) en 1x IVpapier paars • 3 x 3 cm paars voor haar en lila (clean harmony) voor gezichtje • Holografisch papier paars • Hoekpons Accolade

Let op, geen vakje 17!

Card 14.8 x 21cm and 9 x 6.5cm white, 12.5 x 8cm violet P14, 12 x 7.5cm purple P46 • Pattern matruska • 1.5cm wide strips from 3x origami purple (shuffle, ryomen II, d.s. pearly white) and 1x IFpaper purple • 3 x 3cm purple for hair and violet (clean harmony) for face • Holographic paper purple • Corner punch Accolade

Take note! No section 17!

Kaart 6 *Card 6*

Karton 12 x 16 cm sering cA453, 10 x 7,3 cm paars, 9 x 6,8 cm wit • Model kerstbal • 1,5 cm brede strookjes van 4x origami paars (e.z. effen, shuffle, ryomen II, folie ass.) • Holografisch papier zilver • Hoekpons Kerst

Pons twee hoeken van het witte karton en snijd de vorm uit.

Card 12 x 16cm lilac cA453, 10 x 7.3cm purple, 9 x 6.8cm white • Pattern Christmas ball • 1.5cm wide strips of 4x origami purple (s.s. plain, shuffle, ryomen II, foil ass.) • Holographic paper silver • Corner punch Christmas

Punch two corners of the white card and cut out the shape.

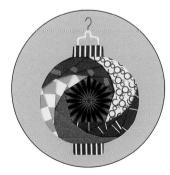

Met dank aan:
Kars & Co B.V. te Ochten
Ori-Expres te Reusel
Pergamano International te Uithoorn
Pipoos

De gebruikte materialen zijn door winkeliers te
bestellen bij:
Kars & Co B.V. te Ochten, www.kars.biz
Papicolor International te Utrecht
Pergamano International te Uithoorn

Het gebruikte papier is ook voor particulieren te koop
bij:
Ori-Expres te Reusel, www.ori-expres.nl
Het Japanse Winkeltje, Nieuwezijds Voorburgwal 177
te Amsterdam
Pipoos, kijk voor de winkel bij u in de buurt op
www.pipoos.com

With thanks to:
Kars & Co B.V. in Ochten
Ori-Expres in Reusel
Pergamano International in Uithoorn
Pipoos

Retailers can order the materials from:
Kars & Co B.V. in Ochten, www.kars.biz
Papicolor International in Utrecht
Pergamano International in Uithoorn

*The paper used can also be purchased by the public
from:*
Ori-Expres in Reusel, www.ori-expres.nl
*Het Japanse Winkeltje, Nieuwezijds Voorburgwal 177
in Amsterdam*
*Pipoos, look for your nearest branch at
www.pipoos.com*